Max et Lili veulent éduquer leurs parents

Série dirigée par Dominique de Saint Mars

Imprimé en Italie
ISBN : 978-2-88480-571-1

Ainsi va la vie

Max et Lili veulent éduquer leurs parents

Dominique de Saint Mars

Serge Bloch

CALLIGRAM

CHRISTIAN GALLIMARD

Mon papounet que j'aime et que j'adore, tu peux pas intervenir en faveur de ta fille unique...?
Qu'est-ce qu'on fait, Barbara ?
On tient bon ! Lili est punie. Elle a désobéi. Elle n'avait pas à nager en dehors des bouées.

Je n'aurais jamais privé mon enfant de baignade le dernier jour des vacances ! Vous me décevez en tant que parents...

Tu les trouves comment nos parents, Max ?
Ils sont très bien, pourquoi ?

Tu vois pas qu'ils sont trop focalisés sur nous ? Qu'ils nous stressent avec leur stress ? Qu'ils nous infligent des punitions disproportionnées ? Faut agir !
T'as pas pris un coup de soleil sur la tête ?

Sandwichs !

J'AI PAS FAIM !
Deux pour moi, maman !
Tu fais les meilleurs sandwichs du monde, maman !
Tu es douée, ma fille !
Pas autant que toi pour défendre tes enfants !
Lili, il faut boire ! Même si tu fais la grève de la faim !
Ta maman a raison, Lili !
Oui, je sais, maman est parfaite !

À propos, mes loulous, cette année,
avec votre papa, on a décidé...
que vous seriez aussi des enfants
parfaits ! Que vous alliez bien
travailler à l'école, aider plus
à la maison... n'est-ce pas, Paul ?
Non, merci,
je ne veux pas
de sandwich !

On dirait que la famille ne t'intéresse pas, Paul !
Il n'y a que toi que j'aime ! Plus je regarde les autres femmes, plus je te trouve belle !
On était d'accord pour leur parler et tu m'as encore une fois laissée seule !
Ma petite Barbara, à chaque rentrée, tu es stressée et tu nous stresses tous ! On s'aime... Nos enfants sont super... Où est le problème ?

Mais la vie est de plus en plus dure ! J'ai peur que nos enfants n'y arrivent pas... On doit les aider à réussir...
Jusque-là, on ne s'est pas trop mal débrouillés...
Mais je sais nager, maman !
Il n'y a que ceux qui savent nager qui se noient !
Quand on en voit certains, on s'est même très bien débrouillés ! On a réussi à ne pas être trop surprotecteurs, nous !

Ils disjonctent ! Faire de nous des enfants parfaits ? Ça te fait pas peur ! ?
Bah, maman... c'est son truc de rentrée.

Et quand tu faisais pipi au lit* à cause de son stress...?
Moi, j'ai jamais fait pipi au lit !

... Et quand papa a failli me battre à mort quand j'ai osé tenir tête à maman qui m'accablait de reproches*...?
Elle n'avait peut-être pas tout à fait tort...

* Retrouve Max et Lili dans *Max fait pipi au lit* et *Lili se fait toujours gronder.*

... Et quand on passait des nuits blanches à cause de leurs disputes*? Les bons parents, eux, font tout pour assurer un sommeil paisible à leurs enfants, afin de les préparer à la rude épreuve de l'école !
Lili, arrête ! Tu vas me faire douter de papa et maman...

Parce que tu leur fais confiance ? Même quand ils essaient de nous rendre jaloux, et nous faire croire qu'ils nous aiment autant... ?
Arrête, Lili !

* Retrouve Max et Lili dans *Les parents de Max et Lili se disputent.*

Avec des parents pareils, est-ce qu'on a une chance de devenir de vrais adultes ?
Lili, arrête...!

On passe notre temps à les protéger : on joue aux enfants modèles pour leur faire plaisir, et les rendre heureux...

... Et quand on n'y arrive pas, on se sent coupables. En fait, toi et moi, on est des enfants surprotecteurs !
Et alors ? C'est très bien, non ?!

NON ! C'est pas bon pour eux : on va pas rester éternellement avec eux ! Et pour nous non plus c'est pas bon : en pensant à eux, on ne pense plus à nous !
C'est terrible... Faut leur en parler !
Tu rigoles ? Tu veux les tuer ?! Il faut y aller doucement, avec psychologie... Trouver les mots qu'ils pourraient comprendre...
... Les amener, mine de rien, à découvrir le problème par eux-mêmes !
T'es sérieuse ?

On a négligé l'éducation
de nos parents, Max !
Mais il n'est jamais
trop tard pour
bien faire...
Tu veux qu'on s'occupe
de leur éducation ? Tu veux
qu'on devienne parents
de nos parents ?
En quelque
sorte...!

Et pourquoi pas les nourrir, les habiller, les accompagner au bureau !?
Qu'est-ce qu'on peut leur apprendre ? On ne connaît rien de la vie ! On n'a aucune expérience !
Parle pour toi !
Ça doit pas être facile d'être parent, tu te rends compte de la responsabilité... C'est pas aux petits d'éduquer les grands !
Tu ne grandiras jamais !

LE LENDEMAIN...
C'est de ta faute, Barbara ! Je t'avais bien dit qu'il fallait partir hier !
Tu n'avais qu'à préparer les bagages et faire le ménage, au lieu de dormir jusqu'à 11 heures !

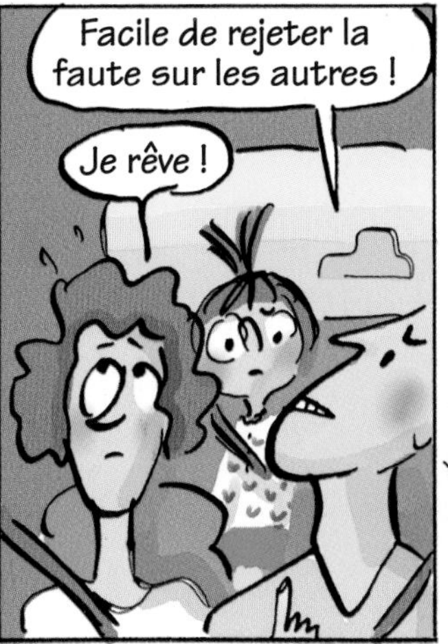
Facile de rejeter la faute sur les autres !
Je rêve !

Voilà des parents responsables... L'image du couple qu'ils donnent à leurs enfants...

Zzz
La famille vole
en éclats et lui,
il dort !

Zzz
Zzz
Zzz

Allez, mes loulous, vite, vite, au lit !

Tu vois, ils ne sont même pas venus nous faire un câlin ! S'ils nous aimaient vraiment, ils nous feraient pas ça !

On est venus vous faire un câlin !

T'as vu ? Ils sont venus ! T'as tout faux !
Pfftt... je te l'avais bien dit ! Ils sont trop focalisés sur nous !

J'aimerais bien un troisième enfant... Pas toi ?
On ne peut pas faire ça à Max et Lili !
Au contraire, ça leur ferait du bien ! Ils seraient moins focalisés sur nous !
Je me demande si je pourrais aimer un troisième enfant comme j'aime Max et Lili...
Tu me disais la même chose quand nous attendions Max !

LE LENDEMAIN MATIN
Ah, mon petit Max, si tu pouvais travailler aussi bien que Lili cette année...
Tu essaies de me rendre jaloux de Lili ?!
C'est vrai que je suis la meilleure !
Mais moi c'est moi, et lui c'est lui !
Et toi, ma petite Lili, ce serait bien si tu écrasais un peu moins ton frère !
Ma petite maman, si tu arrêtais ce genre de reproches, si tu protégeais moins ton fils, on s'entendrait beaucoup mieux Max et moi ! Et toi et moi aussi !

Je commence à comprendre ce que tu m'as dit à la plage... Faut qu'on se serre les coudes, toi et moi !
Ouh là là, Barbara, je crois qu'il va falloir aussi qu'on se serre les coudes, toi et moi !
On ne se parle pas assez dans cette famille ! On ne dit pas ce qu'on ressent ! Faudrait qu'on fasse un conseil de famille !
Ce soir, j'ai une réunion... Mais demain si vous voulez !
Oui... et dans notre chambre !

Pourquoi dans notre chambre ?
On est plus fort sur son terrain ! C'est comme au foot !
Je savais que tu n'allais pas NOUS laisser tomber !
Tu peux compter sur moi ! Tu es trop petite pour gérer seule l'éducation de nos parents !
Mais comment on va s'y prendre ? T'as réfléchi ? T'as une idée ?
Pas encore ! Faut élaborer une stratégie !

4 RÈGLES POUR DEVENIR
UN PARENT PARFAIT !
1. Ne jamais punir son enfant.
2. Toujours écouter son enfant.
3. Féliciter plutôt que gronder.
4. Être gai et pas stressé.

On répète après moi !
Euh... Ne jamais... punir son enfant !
Bravo, vous apprenez vite !
Stratégie... Stratégie... Comprendre d'abord d'où vient le problème... ? Peut-être que les parents répètent les erreurs de leurs parents...

J'ai réfléchi, faut qu'on consulte les grands-parents.
Ils vont rien nous apprendre... S'ils avaient été de bons parents, on n'en serait pas là ! Allons voir Christine !
Un livre sur l'éducation des parents...? Je n'en connais pas ! Vous avez des problèmes avec les vôtres ?
Pure prévention ! C'est pour éviter d'en avoir !

Intéressante, votre idée d'éduquer vos parents... Vous allez peut-être réussir ce que nous, on a raté !
On n'a rien raté, mon amour ! Nous avons des petits-enfants exceptionnels parce qu'ils ont des parents exceptionnels ! Leur père surtout...

Le problème, Max, c'est qu'ils ont toujours surprotégé papa, et ça continue ! Faut plus qu'on compte sur les adultes !

PLUS TARD, DANS LE HANGAR...
Faut d'abord éduquer les parents pour qu'ils ne divorcent jamais !
Et ceux qui nous font porter leurs problèmes, sans rien dire, et on croit que c'est de notre faute !
Et ceux qui veulent qu'on réussisse ce qu'ils ont raté !

* Retrouve Jérémy dans *Jérémy est maltraité.*

... Et éduquer ceux qui n'ont pas de copains ! Qui sont trop seuls !
Mais éduquer, c'est quoi ? C'est donner l'exemple ?
C'est guider, aider à réussir, développer les qualités, apprendre ce qui est interdit...
Et apprendre à s'habiller ! Il y a des parents qui font honte...!
J'ai lu que s'il faut 18 ans pour éduquer un enfant, il faut parfois toute une vie pour éduquer un parent...

* Retrouve l'histoire de Marlène dans *Marlène grignote tout le temps.*

Ils ne sont pas si mal que ça nos parents ! Je me demande si tu n'avais pas raison...
Alors les petits peuvent éduquer les grands !?
En fait, ils sont même géniaux, nos parents ! Surtout quand ils dansent...!
Oui ! Ils sont trop rock and roll !

PAPA ? MAMAN ?
On dirait qu'ils sont pas rentrés...

Mais... qu'est-ce
que vous faites là ?

On vous attend !
Vous ne nous avez pas
convoqués pour un conseil
de famille ?
...

Oh, zut, on a complètement oublié !
Pas moi !

En fait, on voulait vous dire, avec Max, que... que vous êtes des parents... exceptionnels !
Vous n'êtes pas complètement sans défauts, mais, tout bien pesé, on a eu de la chance de tomber sur vous !

On grandit bien, grâce à vous !
Nous aussi, grâce à vous, on grandit bien... Enfin, je parle pour moi !
Vous n'êtes pas complètement sans défauts, mais, tout bien pesé, on a eu de la chance de tomber sur vous !
Tu sais, maman, ta punition le dernier jour des vacances... ben, je ferai la même chose ! Je serai sévère, moi, avec mes enfants !

Je sais que c'est pas facile de dire certaines choses. Mais on s'est pas un peu dégonflés, non !?

On a encore joué aux enfants modèles, pour ne pas faire de la peine à nos parents !
Toi, peut-être... pas moi ! T'as pas entendu nos copains ? On a de la chance d'avoir les parents qu'on a !

Et un frère comme moi !
Je te le fais pas dire !

En tout cas, nous, avec l'expérience qu'on a... sûr qu'on sera tout de suite des parents parfaits ! Enfin, surtout moi !
GA!
GA

Bof, les parents parfaits, je n'y crois pas... Mais des enfants presque parfaits, j'en connais !

Et toi...

Est-ce qu'il t'est arrivé la même histoire qu'à Max et Lili ?
Réponds aux deux questionnaires...

SI TU VEUX ÉDUQUER TES PARENTS...

Trouves-tu qu'ils se disputent trop ? Tu ne te sens pas assez aimé ? Ils sont divorcés et l'un d'eux te manque ?

Tes parents sont trop sévères ? violents ? stressés ? Ils ne t'écoutent pas assez ? Ils ne te font pas confiance ?

Ils ne te guident pas assez ? Dans la vie, à l'école ? Ils te laisse tout faire et après ils te font des reproches ?

Ils ne sont pas câlins, ou trop... ? Ils sont désorganisés, imprévisibles, inattentifs, absents, tristes, trop seuls ?

Peux-tu en parler ou te faire aider par des membres ou des amis de ta famille ? des parents de copains ?

As-tu comparé avec tes copains ? Vis-tu dans un foyer, une famille d'accueil car tes parents ont des problèmes ?

Si tu ne veux pas éduquer tes parents...

Tu les trouves bien ? Tu as ta place dans la famille ? On t
fait confiance ? On te comprend si tu as des difficultés ?

Tu admires tes parents ? Ils t'ont parlé de leur enfance ?
Ils font des efforts pour avoir leur place dans la société ?

Tu te sentais inquiet, triste, abandonné, jaloux ?
Tu as réussi à le dire et à faire changer la situation ?

Tes parents t'apprennent ce qui est interdit ? Ils savent décider, te guider, t'aider à réussir ? Tu leur obéis ?

Tu en parles avec tes copains et tu trouves que c'est moins pire chez toi ?

Quand tu auras des enfants, tu seras comme tes parents ? Ou tu feras le contraire ?

**Après avoir réfléchi
à ces questions
sur l'éducation des parents,
tu peux en parler
avec tes parents ou tes amis.**